D1129814

des jus et des couleurs

De délicieuses recettes faciles à réaliser

Christine Ambridge

Parragon Books Ltd
Queen Street House
4 Queen Street
Bath BA1 1HE
Royaume-Uni

Photographe : Calvey Taylor-Haw

Réalisation : ML Éditions, Paris
Traduction : Hélène Piantone

ISBN 1-40545-212-9

Imprimé en Chine
Printed in China

NOTES AU LECTEUR

- Les mesures en cuillerées s'entendent rases. Une cuillerée à café équivaut à 5 ml et une cuillerée à soupe à 15 ml.
- Sauf spécification contraire, le lait utilisé est entier, les œufs et les légumes tels que les carottes sont de taille moyenne ; quant au poivre, il s'agit de poivre noir fraîchement moulu.
- Les recettes à base d'œuf cru sont déconseillées aux enfants, aux femmes enceintes, aux personnes âgées, ou souffrant d'une maladie ainsi qu'aux convalescents.
- Les temps de préparation indiqués sont approximatifs et peuvent différer en fonction des diverses méthodes pouvant être utilisées par des personnes différentes.

sommaire

introduction

Nous vivons à une époque où il est bien plus facile que par le passé de profiter des trésors de bienfaits que nous apportent les jus de fruits et de légumes. Nos magasins et supermarchés regorgent d'étalages appétissants, et la plupart des fruits et légumes se trouvent maintenant aisément toute l'année.

À n'importe quelle période, vous pouvez aussi vous régaler de fruits d'été que vous aurez congelés. Si besoin, épluchez-les d'abord, coupez-les en tranches ou en cubes, puis disposez-les en une seule couche sur un plateau avant de les congeler. Vous pourrez ensuite les mettre dans des sacs congélation : vos fruits seront prêts à l'emploi.

Les boissons présentées dans cet ouvrage sont rapides à préparer, faciles à digérer et pleines de vitamines, de minéraux et autres éléments excellents pour la santé. Par exemple, les bananes, source de potassium et de magnésium, peuvent contribuer à réduire le taux de cholestérol. Les mangues renferment de la vitamine A qui stimule le système immunitaire. Les ananas contiennent de la broméline, enzyme qui facilite la digestion ; et enfin, les tomates sont riches en vitamine E, un antioxydant précieux qui aide à combattre le vieillissement.

Vous vous régalerez des divers jus de fruits proposés ici à toute heure du jour. Au fil des pages, vous trouverez des rafraîchissements « coup de fouet » pour le matin, des boissons nourrissantes pour le midi, de délicieux mélanges pour l'heure du dîner ainsi que d'étonnants cocktails de réception. Vous ne pourrez plus vous passer de ce livre dans lequel vous saurez trouver la recette idéale à tout moment de la journée et pour toutes les occasions.

thé citron cannelle
page 24

velouté au cresson
page 42

soda à l'ananas
page 70

cœur de cerise
page 92

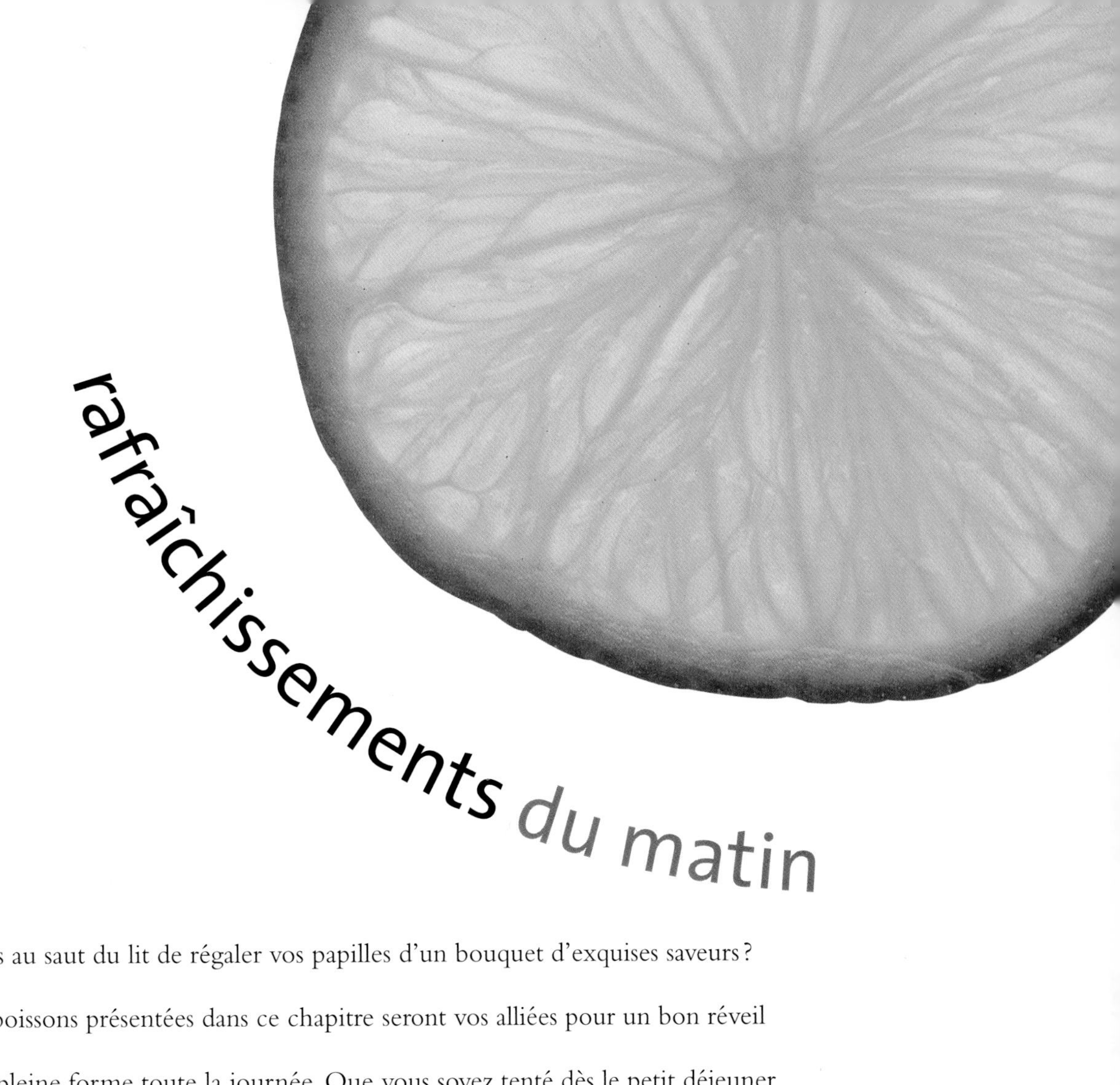

rafraîchissements du matin

Que diriez-vous au saut du lit de régaler vos papilles d'un bouquet d'exquises saveurs ? Les délicieuses boissons présentées dans ce chapitre seront vos alliées pour un bon réveil et pour être en pleine forme toute la journée. Que vous soyez tenté dès le petit déjeuner par un « conquérant » qui vous donnera un coup de fouet, une « menthe glaciale » très rafraîchissante ou un somptueux « délice du Pacifique » très relaxant, vous trouverez certainement une recette qui vous plaira pour bien démarrer la journée.

cocktail de melon

difficulté ✲ extrêmement facile
pour ✲ deux
temps de préparation ✲ 15 min
temps de cuisson ✲ —

ingrédients

25 cl de **yaourt nature**
100 g de **melon d'Espagne,** coupé en morceaux
100 g de **melon charentais,** coupé en morceaux
100 g de **pastèque,** coupée en morceaux
6 glaçons

pour décorer

quelques triangles de melon

* Versez le yaourt dans un mixer. Ajoutez les morceaux de melon d'Espagne et mélangez bien.

* Incorporez les morceaux de melon charentais et de pastèque avec les glaçons. Versez le mélange obtenu dans des verres et décorez de petits triangles de melon. Servez immédiatement.

fruité fraîcheur

difficulté ⁂ extrêmement facile
pour ⁂ deux
temps de préparation ⁂ 10 min
temps de cuisson ⁂ —

ingrédients

25 cl de
jus d'orange
12,5 cl de
yaourt nature
2 œufs
2 bananes,
coupées en rondelles et congelées

pour décorer

quelques rondelles de
banane

* Versez le jus d'orange et le yaourt dans un mixer et mélangez bien.

* Incorporez les œufs et les rondelles de banane congelée, puis mixez. Versez dans des verres et décorez les bords de rondelles de banane fraîche. Servez avec des pailles.

délice du Pacifique

difficulté ⁂ extrêmement facile
pour ⁂ deux
temps de préparation ⁂ 15 min
temps de cuisson ⁂ 15 min

ingrédients

35 cl de
yaourt à la noisette
2 cuillerées à soupe de
jus d'orange pressé
4 cuillerées à soupe de
sirop d'érable
8 grosses figues fraîches,
coupées en morceaux
6 glaçons

pour décorer

noisettes
concassées grillées

* Versez le yaourt, le jus d'orange pressé et le sirop d'érable dans un mixer et mélangez bien.

* Ajoutez les figues et les glaçons, puis mixez de nouveau. Versez le mélange obtenu dans des verres et saupoudrez de noisettes concassées grillées. Servez immédiatement.

le conquérant

difficulté ⁂ extrêmement facile
pour ⁂ deux
temps de préparation ⁂ 15 min
temps de cuisson ⁂ —

ingrédients

25 cl de **jus de carotte**
25 cl de **jus de tomate**
2 gros poivrons rouges, épépinés et grossièrement hachés
1 cuillerée à soupe de **jus de citron**

pour accompagner

poivre noir fraîchement moulu

* Versez le jus de carotte et le jus de tomate dans un mixer et mélangez bien.

* Incorporez les poivrons rouges et le jus de citron. Assaisonnez généreusement de poivre du moulin et mélangez bien. Versez dans de grands verres et ajoutez des pailles avant de servir.

tonique au gingembre

difficulté ⁂ très facile
pour ⁂ deux
temps de préparation ⁂ 15 min
temps de cuisson ⁂ —

ingrédients

25 cl de **jus de carotte**
4 tomates, pelées, épépinées et grossièrement hachées
1 cuillerée à soupe de **jus de citron**
25 g de **persil frais**
1 cuillerée à soupe de **gingembre frais,** râpé
6 glaçons
12,5 cl d' **eau**

pour servir

persil frais haché

* Mettez le jus de carotte, les tomates et le jus de citron dans un mixer, puis mélangez bien.

* Ajoutez le persil ainsi que le gingembre et les glaçons. Mixez bien avant de compléter avec l'eau et mélangez de nouveau.

* Versez le mélange obtenu dans de grands verres et décorez de persil haché. Servez immédiatement.

concentré d'
énergie

difficulté ⁂ extrêmement facile
pour ⁂ deux
temps de préparation ⁂ 10 min
temps de cuisson ⁂ —

ingrédients

30 cl de
jus de fruits rouges
10 cl de
jus d'orange
150 g de
framboises
1 cuillerée à soupe de
jus de citron

pour décorer

tranches et zeste de
citron et d'orange
en spirales

* Mettez le jus de fruits rouges et le jus d'orange dans un mixer et mélangez bien. Ajoutez les framboises ainsi que le jus de citron et mixez de nouveau.

* Versez la boisson obtenue dans des verres et décorez de tranches et de zeste de citron et d'orange en spirales. Servez immédiatement.

velouté à la nectarine

difficulté ⁂ extrêmement facile
pour ⁂ deux
temps de préparation ⁂ 15 min
temps de cuisson ⁂ —

ingrédients

25 cl de **lait**
350 g de **sorbet au citron**
1 mangue bien mûre, coupée en petits dés
2 nectarines bien mûres, coupées en petits dés

* Versez le lait et la moitié du sorbet au citron dans un mixer, puis mélangez bien. Ajoutez l'autre moitié du sorbet.

* Lorsque ces ingrédients sont bien mixés, complétez progressivement avec la mangue et les nectarines que vous continuerez de brasser. Versez le mélange obtenu dans des verres et ajoutez des pailles avant de servir.

menthe glaciale

difficulté ⁂ extrêmement facile
pour ⁂ deux
temps de préparation ⁂ 10 min
temps de cuisson ⁂ —

ingrédients

15 cl de
lait
2 cuillerées à soupe de
sirop de menthe glaciale
400 g de
glace à la menthe

pour décorer

quelques feuilles de menthe

* Versez le lait et le sirop de menthe glaciale dans un mixer et mélangez doucement.

* Ajoutez la glace à la menthe et mixez. Versez le mélange obtenu dans de grands verres et décorez de feuilles de menthe fraîche. Servez avec des pailles.

thé citron cannelle

difficulté ⁂ extrêmement facile
pour ⁂ deux
temps de préparation ⁂ 8 à 10 min
temps de cuisson ⁂ 3 à 4 min

ingrédients

40 cl d' **eau**
4 clous de girofle
1 petit bâton de **cannelle**
2 sachets de thé
3 ou 4 cuillerées à soupe de **jus de citron**
1 ou 2 cuillerées à soupe de **sucre roux**

pour décorer

tranches de citron

* Dans une casserole, mettez l'eau, les clous de girofle et la cannelle et portez à ébullition. Enlevez du feu et ajoutez les sachets de thé. Laissez infuser 5 min, puis retirez les sachets.

* Ajoutez le jus de citron et le sucre selon votre goût. Remettez la casserole sur le feu et réchauffez doucement.

* Enlevez la casserole du feu et passez le thé dans des verres supportant la chaleur. Décorez avec des tranches de citron avant de servir.

thé glacé aux agrumes

difficulté ✻ très facile
pour ✻ deux
temps de préparation ✻ 15 min + 1¼ h au réfrigérateur
temps de cuisson ✻ 3 à 4 min

ingrédients

30 cl d' **eau**
2 sachets de thé
10 cl de **jus d'orange**
4 cuillerées à soupe de **jus de citron vert**
1 ou 2 cuillerées à soupe de **sucre roux**
8 glaçons

pour décorer

quartiers de citron vert
sucre cristallisé
tranches d'orange, de citron ou de citron vert

* Versez l'eau dans une casserole et portez à ébullition. Enlevez du feu, ajoutez les sachets de thé et laissez infuser pendant 5 min. Enlevez les sachets et laissez refroidir le thé à température ambiante pendant environ 30 min. Versez dans un pichet que vous recouvrerez de film alimentaire avant de le laisser refroidir davantage au réfrigérateur pendant au moins 45 min.

* Lorsque le thé est bien froid, versez-y le jus d'orange et le jus de citron vert. Ajoutez du sucre selon votre goût.

* Prenez deux verres et frottez-en les bords avec un quartier de citron vert avant de les passer dans du sucre cristallisé pour les givrer. Mettez les glaçons dans les verres avant de verser le thé. Décorez les bords de tranches d'orange, de citron ou de citron vert, puis servez.

déjeuners vitaminés

Vos repas de midi sortiront de l'ordinaire grâce aux savoureuses boissons présentées dans les pages suivantes. Elles regorgent de nutriments indispensables à une bonne santé, car leurs ingrédients sont tout frais et délicieux. Pourquoi ne pas essayer le « velouté au cresson », riche en vitamine A et en fer, ou la « surprise au céleri », tonique fortifiant le corps et le cerveau ? Si vous penchez plus pour une boisson en dessert, la « crème de fruits rouges » terminera votre déjeuner en beauté et le « nectar à la banane et à la myrtille » ensoleillera votre pause méridienne.

crème de fruits rouges

difficulté ✲ extrêmement facile
pour ✲ deux
temps de préparation ✲ 10 min
temps de cuisson ✲ —

ingrédients

35 cl de
jus d'orange
1 banane,
coupée en rondelles et congelée
450 g de
fruits des bois surgelés
(par exemple, myrtilles, framboises et mûres)

pour décorer

tranches de
fraises

* Versez le jus d'orange dans un mixer. Ajoutez la banane ainsi que la moitié des fruits des bois, puis mélangez bien.

* Incorporez le restant de fruits des bois et mixez. Versez le mélange obtenu dans de grands verres et décorez les bords de tranches de fraises. Ajoutez des pailles avant de servir.

nectar à la banane et à la myrtille

difficulté ⁂ extrêmement facile
pour ⁂ deux
temps de préparation ⁂ 10 min
temps de cuisson ⁂ —

ingrédients

17,5 cl de
jus de pomme
12,5 cl de
yaourt nature
1 banane,
coupée en rondelles et congelée
175 g de
myrtilles surgelées

pour décorer

myrtilles

* Versez le jus de pomme dans un mixer, puis ajoutez le yaourt et mélangez bien.

* Incorporez la banane et la moitié des myrtilles, mixez, puis ajoutez le restant des myrtilles et brassez bien. Versez le mélange dans de grands verres et décorez de myrtilles. Ajoutez des pailles et servez.

tonique à la banane et à la pomme

difficulté ⁂ extrêmement facile
pour ⁂ deux
temps de préparation ⁂ 15 min
temps de cuisson ⁂ —

ingrédients

25 cl de **jus de pomme**
½ cuillerée à café de **cannelle** en poudre
2 cuillerées à café de **gingembre frais** râpé
2 bananes, coupées en rondelles et congelées

pour décorer

tranches de banane sur des piques à olives

* Versez le jus de pomme dans un mixer. Ajoutez la cannelle et le gingembre, puis mélangez.

* Incorporez les bananes et mixez bien. Versez le mélange dans de grands verres et décorez de mini-brochettes de rondelles de banane que vous aurez confectionnées à l'aide de piques à olives. Servez immédiatement.

délice à la fraise et à l' orange

difficulté ⁂ extrêmement facile
pour ⁂ deux
temps de préparation ⁂ 15 min
temps de cuisson ⁂ —

ingrédients

12,5 cl de
yaourt nature
17,5 cl de
yaourt à la fraise
17,5 cl de
jus d'orange
175 g de
fraises surgelées
1 banane,
coupée en rondelles et congelée

pour décorer

tranches d'orange
fraises
entières

* Versez les deux sortes de yaourts dans un mixer et mélangez doucement. Ajoutez le jus d'orange et mixez de nouveau.

* Incorporez les fraises et la banane et mélangez bien. Versez dans de grands verres et décorez de tranches d'orange et de fraises entières. Ajoutez des pailles avant de servir.

surprise au céleri

difficulté ✻ très facile
pour ✻ deux
temps de préparation ✻ 15 min
temps de cuisson ✻ —

ingrédients

12,5 cl de
jus de carotte
500 g de
tomates,
pelées, épépinées et grossièrement concassées
1 cuillerée à soupe de
jus de citron
4 branches de céleri,
lavées et tranchées
4 oignons nouveaux,
épluchés et grossièrement hachés
25 g de
persil frais
25 g de
menthe fraîche

pour servir

2 branches de céleri

* Mettez le jus de carotte, les tomates et le jus de citron dans un mixer et mélangez doucement.

* Ajoutez le céleri coupé en petits morceaux ainsi que les oignons nouveaux, le persil et la menthe et mixez. Versez dans de grands verres et décorez de branches de céleri. Servez immédiatement.

curry des Indes

difficulté ⁂ très facile
pour ⁂ deux
temps de préparation ⁂ 15 min
temps de cuisson ⁂ —

ingrédients

25 cl de
jus de carotte
4 tomates,
pelées, épépinées et grossièrement concassées
1 cuillerée à soupe de
jus de citron
2 branches de céleri,
lavées et coupées en morceaux
1 laitue romaine
1 gousse d'ail,
émincée
25 g de
persil frais
1 cuillerée à café de
curry en poudre
6 glaçons
12,5 cl d'
eau

pour servir

2 branches de céleri

* Mettez le jus de carotte, les tomates, le jus de citron et le céleri dans un mixer et mélangez doucement.

* Lavez les feuilles de laitue et ajoutez-les ainsi que l'ail, le persil, le curry en poudre et les glaçons. Mixez bien avant de compléter avec l'eau, puis mélangez de nouveau.

* Versez dans de grands verres et décorez de branches de céleri. Servez immédiatement.

velouté au

cresson

difficulté ⁂ extrêmement facile
pour ⁂ deux
temps de préparation ⁂ 10 min
+ 1 h au réfrigérateur
temps de cuisson ⁂ —

ingrédients

50 cl de
jus de carotte
25 g de
cresson
1 cuillerée à soupe de
jus de citron

pour servir

feuilles de
cresson

* Mettez le jus de carotte dans un mixer. Ajoutez le cresson et le jus de citron et mélangez bien. Versez dans un pichet et couvrez d'un film alimentaire avant de le placer au réfrigérateur pendant 1 h au minimum, ou jusqu'au moment de servir.

* Lorsque la boisson est bien froide, versez dans des verres et décorez de branches de cresson. Servez immédiatement.

délice aux agrumes et aux fruits d'été

difficulté ✻ extrêmement facile
pour ✻ deux
temps de préparation ✻ 10 min
temps de cuisson ✻ —

ingrédients

4 cuillerées à soupe de **jus d'orange**

1 cuillerée à soupe de **jus de citron vert**

10 cl d' **eau gazeuse**

350 g de **fruits rouges** (par exemple des myrtilles, des framboises, des mûres et des fraises)

4 glaçons

pour décorer

framboises, cassis et mûres sur des piques à olives

* Versez le jus d'orange, le jus de citron vert et l'eau gazeuse dans un mixer et mélangez doucement.

* Ajoutez les fruits rouges et les glaçons et mixez jusqu'à l'obtention d'une purée liquide.

* Versez ce mélange dans des verres et décorez de mini-brochettes de framboises, de cassis et de mûres que vous aurez confectionnées à l'aide de piques à olives.

douceur de pêche à la fraise

difficulté ⁂ très facile
pour ⁂ deux
temps de préparation ⁂ 20 min
temps de cuisson ⁂ —

ingrédients

17,5 cl de **lait**

250 g de **pêches au sirop,** égouttées et coupées en morceaux

2 abricots, coupés en morceaux

400 g de **fraises,** équeutées et coupées en tranches

2 bananes, coupées en rondelles et congelées

pour décorer

tranches de fraises

* Versez le lait dans un mixer. Ajoutez les pêches et mélangez doucement. Incorporez les abricots et mixez de nouveau.

* Ajoutez les fraises et les rondelles de banane et mélangez bien. Versez dans des verres et décorez les bords de tranches de fraises. Servez immédiatement.

caprice aux fruits

difficulté ⁂ extrêmement facile
pour ⁂ deux
temps de préparation ⁂ 15 min
temps de cuisson ⁂ —

ingrédients

10 cl de
lait
12,5 cl de
yaourt à la pêche
10 cl de
jus d'orange
250 g de
pêches au sirop,
égouttées
6 glaçons

pour décorer

bâtonnets de
zeste d'orange

* Versez le lait, le yaourt et le jus d'orange dans un mixer et mélangez doucement.

* Ajoutez les pêches et les glaçons et mixez bien. Versez dans des verres et décorez de bâtonnets de zeste d'orange. Servez avec des pailles.

citronnade à l' ancienne

difficulté ⁂ très facile
pour ⁂ deux
temps de préparation ⁂ 15 min + 2½ h au réfrigérateur
temps de cuisson ⁂ 8 à 10 min

ingrédients

15 cl d' **eau**
6 cuillerée à soupe de **sucre**
1 cuillerée à café de **zeste de citron** râpé
12,5 cl de **jus de citron**
6 glaçons

pour décorer

quartier de citron
sucre cristallisé
tranches de citron

pour accompagner

eau gazeuse

* Mettez l'eau, le sucre et le zeste de citron dans une petite casserole et portez à ébullition en remuant constamment. Faites bouillir pendant 5 min tout en continuant à tourner.

* Enlevez du feu et laissez refroidir à température ambiante. Ajoutez le jus de citron et remuez, puis versez dans un pichet et couvrez de film alimentaire avant de le placer au réfrigérateur pendant 2 h au minimum.

* Lorsque le mélange a pratiquement atteint la bonne température, prenez deux verres et frottez-en les bords avec un quartier de citron avant de les passer dans du sucre cristallisé pour les givrer. Mettez les glaçons dans les verres.

* Sortez la citronnade du réfrigérateur, versez-la sur la glace et complétez avec de l'eau gazeuse. Il faut un quart de citronnade pour trois quarts d'eau gazeuse. Remuez bien et décorez de tranches de citron pour servir.

desserts pour le dîner

Vous allez vraiment vous régaler avec ces boissons concoctées pour le soir qui raviront aussi sans aucun doute votre famille et vos amis. Le « milk-shake onctueux au chocolat » enchantera les amateurs de chocolat de votre entourage et le « nectar au kiwi » terminera votre repas sur une note fraîche et savoureuse. Après le dîner, si vous voulez sortir de la routine et étonner vos convives, vous êtes sûr d'alimenter la conversation en servant un « café pétillant à la noisette ». Enfin, le « soda à l'ananas » fera son effet sur votre terrasse les soirs d'été.

banane épicée

difficulté ⁂ extrêmement facile
pour ⁂ deux
temps de préparation ⁂ 10 min
temps de cuisson ⁂ —

ingrédients

30 cl de
lait
½ cuillerée à café de
quatre-épices
150 g de
glace à la banane ou à la vanille
2 bananes,
coupées en rondelles et congelées

* Versez le lait dans un mixer et ajoutez le quatre-épices. Incorporez la moitié de la glace et mélangez avant de compléter avec le restant. Brassez bien.

* Ces ingrédients étant bien mélangés, ajoutez les bananes et mixez. Versez dans de grands verres et servez avec des pailles.

milk-shake banane café

difficulté ⁂ extrêmement facile
pour ⁂ deux
temps de préparation ⁂ 10 min
temps de cuisson ⁂ —

ingrédients

30 cl de **lait**

4 cuillerées à soupe de **café instantané** en poudre

150 g de **glace à la vanille**

2 bananes, coupées en rondelles et congelées

* Versez le lait dans un mixer, ajoutez le café instantané et mélangez doucement. Incorporez la moitié de la glace à la vanille, et mixez avant de compléter avec l'autre moitié.

* Après avoir mélangé de nouveau, ajoutez les bananes et brassez. Versez dans des verres et servez.

milk-shake onctueux au chocolat

difficulté ⁂ extrêmement facile
pour ⁂ deux
temps de préparation ⁂ 10 min
temps de cuisson ⁂ —

ingrédients

15 cl de
lait
2 cuillerées à soupe de
chocolat fondu refroidi
400 g de
glace au chocolat

pour décorer

copeaux de chocolat

* Versez le lait et le chocolat fondu préalablement refroidi dans un mixer et mélangez.

* Ajoutez la glace au chocolat et mixez de nouveau. Versez le mélange obtenu dans de grands verres et saupoudrez de copeaux de chocolat. Servez immédiatement.

milk-shake aux amandes et au sirop d'érable

difficulté ⁂ extrêmement facile
pour ⁂ deux
temps de préparation ⁂ 15 min
temps de cuisson ⁂ —

ingrédients

15 cl de **lait**
2 cuillerées à soupe de **sirop d'érable**
400 g de **glace à la vanille**
1 cuillerée à soupe d' **essence d'amande amère**

pour décorer

amandes effilées

* Versez le lait et le sirop d'érable dans un mixer et mélangez doucement.

* Ajoutez la glace et l'essence d'amande amère et mixez de nouveau. Versez le mélange obtenu dans des verres et saupoudrez de quelques amandes effilées. Servez avec des pailles.

nectar au kiwi

difficulté ⁂ extrêmement facile
pour ⁂ deux
temps de préparation ⁂ 15 min
temps de cuisson ⁂ —

ingrédients

15 cl de **lait**
jus de **2 citrons verts**
2 kiwis, écrasés
1 cuillerée à soupe de **sucre**
400 g de **glace à la vanille**

pour décorer

tranches de kiwi
zeste de citron vert en spirale

* Versez le lait et le jus des citrons verts dans un mixer et mélangez doucement.

* Ajoutez les kiwis et le sucre et mixez, puis incorporez la glace avant de mélanger de nouveau. Versez dans des verres et décorez de tranches de kiwi et de zeste de citron vert en spirale. Servez immédiatement.

café frappé

difficulté ⁂ extrêmement facile
pour ⁂ deux
temps de préparation ⁂ 15 min
temps de cuisson ⁂ —

ingrédients

20 cl de **lait**
5 cl de **crème liquide**
1 cuillerée à soupe de **sucre roux**
2 cuillerées à soupe de **cacao** en poudre
1 cuillerée à soupe de **café instantané** en poudre
6 glaçons

pour accompagner

crème fouettée
cacao en poudre

* Mettez le lait, la crème et le sucre dans un mixer et mélangez doucement.

* Incorporez le cacao en poudre et le café instantané et mixez bien, puis ajoutez les glaçons avant de remuer de nouveau.

* Versez le mélange obtenu dans des verres. Recouvrez de crème fouettée et saupoudrez de copeaux de chocolat ou d'un peu de cacao en poudre avant de servir.

café mousseux

difficulté * très facile
pour * deux
temps de préparation * 15 min + 1¼ h au réfrigérateur
temps de cuisson * —

ingrédients

40 cl d' **eau**
2 cuillerées à soupe de **café instantané** en poudre
2 cuillerées à soupe de **sucre roux**
6 glaçons

pour décorer

crème liquide
quelques grains de café

* Faites un café chaud avec l'eau et le café instantané, puis laissez refroidir à température ambiante. Versez dans un pichet et couvrez de film alimentaire avant de le placer au réfrigérateur pendant 45 min au moins.

* Lorsque le café est bien froid, versez-le dans un mixer. Ajoutez le sucre et mélangez bien. Complétez avec les glaçons et brassez de nouveau.

* Versez la boisson dans des verres. Ajoutez de la crème liquide sur le dessus et décorez de grains de café avant de servir.

café pétillant à la noisette

difficulté ⁂ extrêmement facile
pour ⁂ deux
temps de préparation ⁂ 15 min + 1¼ h au réfrigérateur
temps de cuisson ⁂ —

ingrédients

25 cl d' **eau**
3 cuillerées à soupe de **café instantané** en poudre
12,5 cl d' **eau gazeuse**
1 cuillerée à soupe de **sirop d'érable**
1 cuillerée à café de **poudre de noisette**
2 cuillerées à soupe de **sucre roux**
6 glaçons

pour décorer

tranches de citron
tranches de citron vert

* Faites un café chaud avec l'eau et le café instantané, puis laissez refroidir à température ambiante. Versez dans un pichet et couvrez de film alimentaire avant de le placer au réfrigérateur pendant 45 min au moins.

* Lorsque le café est bien froid, versez-le dans un mixer. Ajoutez l'eau gazeuse, le sirop d'érable, le sucre et la poudre de noisette et mélangez bien. Complétez avec les glaçons et mixez de nouveau.

* Versez dans des verres, décorez les bords de tranches de citron et de citron vert et servez.

soda à l' ananas

difficulté ✲ facile
pour ✲ deux
temps de préparation ✲ 15 à 20 min
temps de cuisson ✲ —

ingrédients

17,5 cl de **jus d'ananas**
10 cl de **lait de coco**
200 g de **glace à la vanille**
150 g d' **ananas** congelé en morceaux
17,5 cl d' **eau gazeuse**

pour accompagner

2 moitiés d'ananas évidées (facultatif)

* Versez le jus d'ananas et le lait de coco dans un mixer. Ajoutez la glace et mélangez bien.

* Incorporez l'ananas en morceaux et mixez. Avec le mélange obtenu, remplissez aux deux tiers des moitiés d'ananas évidées ou de grands verres et complétez par de l'eau gazeuse. Servez avec des pailles.

velouté à l'orange et à la carotte

difficulté ⁂ extrêmement facile
pour ⁂ deux
temps de préparation ⁂ 10 min
temps de cuisson ⁂ —

ingrédients

17,5 cl de **jus de carotte**
17,5 cl de **jus d'orange**
150 g de **glace à la vanille**
6 glaçons

pour décorer

tranches et zeste d'orange

* Versez le jus de carotte et le jus d'orange dans un mixer et mélangez bien. Ajoutez la glace et mixez.

* Ajoutez les glaçons et mixez de nouveau. Versez dans des verres et décorez de tranches d'orange et de quelques zestes en bâtonnets avant de servir.

cocktails sans alcool
pour le soir

Cet ouvrage n'aurait pas été complet sans un choix alléchant de cocktails sans alcool. Vous trouverez au fil des pages suivantes des recettes qui vous mettront vraiment l'eau à la bouche, idéales quand vous avez des invités ou lorsque vous voulez prendre un peu de temps pour vous détendre.

Pour vos réceptions, servez l'« ananas coco » dans sa belle présentation. Le « cœur de cerise » apportera une touche romantique à vos moments en tête à tête tandis que personne ne pourra résister au délicieux « coucher de soleil » lorsque les derniers rayons déclinent à l'horizon.

ananas coco

difficulté ⁂ très facile
pour ⁂ deux
temps de préparation ⁂ 15 min
temps de cuisson ⁂ —

ingrédients

35 cl de
jus d'ananas
10 cl de
lait de coco
150 g de
glace à la vanille
150 g d'
ananas congelé en morceaux

pour accompagner

2 moitiés de
noix de coco évidées
(facultatif)

pour décorer

2 cuillerées à soupe de
noix de coco râpée

* Versez le jus d'ananas et le lait de coco dans un mixer. Incorporez la glace et mélangez.

* Ajoutez l'ananas en morceaux et mixez. Versez le mélange dans des moitiés de noix de coco ou des verres très larges et parsemez de noix de coco râpée. Servez avec des pailles.

nectar à la pêche et à l' ananas

difficulté ✲ extrêmement facile
pour ✲ deux
temps de préparation ✲ 15 min
temps de cuisson ✲ —

ingrédients

12,5 cl de **jus d'ananas**
jus de **1 citron**
10 cl d' **eau**
3 cuillerées à soupe de **sucre roux**
17,5 cl de **yaourt nature**
1 pêche, coupée en morceaux et congelée
100 g d' **ananas** congelé en morceaux

pour décorer

petits triangles d'ananas

* Versez le jus d'ananas, le jus de citron et l'eau dans un mixer. Ajoutez le sucre et le yaourt et mélangez bien.

* Incorporez les morceaux de pêche et d'ananas et mixez de nouveau. Versez la boisson dans des verres et décorez les bords de petits triangles d'ananas. Servez immédiatement.

cocktail antillais

difficulté ⁂ extrêmement facile
pour ⁂ deux
temps de préparation ⁂ 15 min
temps de cuisson ⁂ —

ingrédients

10 cl de **lait de coco**
20 cl de **lait de soja**
10 cl de **jus d'ananas**
1 cuillerée à soupe de **sucre roux**
1 mangue bien mûre, coupée en dés
2 cuillerées à soupe de **noix de coco** râpée
150 g d' **ananas** congelé en morceaux
1 banane, coupée en rondelles et congelée

pour décorer

noix de coco râpée
petits triangles d'ananas

* Versez le lait de coco, le lait de soja, le jus d'ananas et le sucre dans un mixer et mélangez bien. Ajoutez la mangue coupée en dés ainsi que la noix de coco râpée et mélangez de nouveau.

* Incorporez les morceaux d'ananas et les rondelles de banane et mixez bien. Versez la boisson dans des verres, saupoudrez d'un peu de noix de coco râpée et décorez les bords de triangles d'ananas. Servez immédiatement.

orage tropical

difficulté ✲ extrêmement facile
pour ✲ deux
temps de préparation ✲ 15 min + 30 min au réfrigérateur
temps de cuisson ✲ —

ingrédients

50 cl de **jus de tomate**
un trait de **Tabasco**
1 petit piment rouge, épépiné et émincé
1 oignon nouveau, épluché et émincé
6 glaçons

pour servir

2 piments rouges assez longs découpés en fleurs (voir ci-contre pour la réalisation)

✱ Pour obtenir des « fleurs de piment », faites six entailles sur chaque piment à l'aide d'un couteau aiguisé. Commencez en plaçant la pointe du couteau à environ 1 cm de la queue et coupez en allant vers l'extrémité. Mettez les piments dans un bol d'eau glacée et laissez-les tremper pendant 25 à 30 min pour qu'ils s'ouvrent comme des fleurs.

✱ Mettez le jus de tomate et le Tabasco dans un mixer et mélangez bien. Ajoutez le piment et l'oignon émincés avec les glaçons et mixez de nouveau.

✱ Versez dans des verres et décorez avec les fleurs de piment. Servez avec des pailles.

moka à la menthe

difficulté ⁂ extrêmement facile
pour ⁂ deux
temps de préparation ⁂ 15 min
temps de cuisson ⁂ —

ingrédients

40 cl de **lait**
20 cl de **café** fort
2 cuillerées à soupe de **sucre roux**
10 cl de **sirop de menthe glaciale**
1 cuillerée à soupe de **feuilles de menthe fraîche** ciselées
4 glaçons

pour décorer

copeaux de chocolat
quelques feuilles de menthe

* Versez le lait, le café, le sucre et le sirop de menthe glaciale dans un mixer et mélangez doucement.

* Ajoutez la menthe et les glaçons et mixez jusqu'à l'obtention d'une purée très liquide.

* Versez le mélange dans des verres. Saupoudrez de copeaux de chocolat et décorez de feuilles de menthe avant de servir.

velouté à l'
ananas

difficulté ✲ extrêmement facile
pour ✲ deux
temps de préparation ✲ 10 min
temps de cuisson ✲ —

ingrédients

10 cl de
jus d'ananas
4 cuillerées à soupe de
jus d'orange
125 g de
melon d'Espagne,
coupé en morceaux
150 g d'
ananas congelé en morceaux
4 glaçons

pour décorer

tranches fines de
melon d'Espagne
tranches d'orange

* Versez le jus d'ananas et le jus d'orange dans un mixer et mélangez doucement.

* Ajoutez les morceaux de melon et d'ananas ainsi que les glaçons et mixez jusqu'à l'obtention d'une purée très liquide.

* Versez le mélange dans des verres et décorez de fines tranches de melon et de tranches d'orange. Servez immédiatement.

milk-shake tahitien

difficulté ⁂ très facile
pour ⁂ deux
temps de préparation ⁂ 15 min
temps de cuisson ⁂ —

ingrédients

25 cl de **lait**

5 cl de **lait de coco**

150 g de **glace à la vanille**

2 bananes, coupées en rondelles et congelées

200 g de **morceaux d'ananas,** en boîte, égouttés

1 papaye, épépinée et coupée en dés

pour décorer

noix de coco râpée

petits triangles d'ananas

* Versez le lait et le lait de coco dans un mixer et mélangez bien. Ajoutez la moitié de la glace et mixez, puis complétez par le reste de glace avant de brasser de nouveau.

* Incorporez les bananes et mixez bien, puis ajoutez les morceaux d'ananas et de papaye et mélangez. Versez dans de grands verres, saupoudrez de noix de coco râpée et décorez les bords de triangles d'ananas. Servez immédiatement.

coucher de soleil

difficulté ⁂ très facile
pour ⁂ deux
temps de préparation ⁂ 15 min
temps de cuisson ⁂ —

ingrédients

10 cl de
yaourt nature
50 cl de
lait
1 cuillerée à soupe d'
eau de rose
3 cuillerées à soupe de
miel
1 mangue bien mûre,
coupée en dés
6 glaçons

pour décorer

pétales de rose
(facultatif)

* Versez le yaourt et le lait dans un mixer et mélangez doucement.

* Ajoutez l'eau de rose et le miel et mixez, puis incorporez la mangue et les glaçons avant de mélanger de nouveau. Versez dans des verres, décorez de pétales de rose et servez.

cœur de cerise

difficulté ⁂ extrêmement facile
pour ⁂ deux
temps de préparation ⁂ 5 min
temps de cuisson ⁂ —

ingrédients

8 glaçons,
pilés
2 cuillerées à soupe de
sirop de cerise
50 cl d'
eau gazeuse

pour décorer

cerises au marasquin
sur des piques à olives

* Répartissez la glace pilée dans les deux verres et versez le sirop de cerise.

* Remplissez chaque verre d'eau gazeuse.
Décorez de mini-brochettes de cerises au marasquin que vous aurez confectionnées à l'aide de piques à olives et servez.

touche de framboise

difficulté ⁂ extrêmement facile
pour ⁂ deux
temps de préparation ⁂ 5 min
temps de cuisson ⁂ —

ingrédients

8 glaçons,
pilés
2 cuillerées à soupe de
sirop de framboises
50 cl de
jus de pomme glacé

pour décorer

framboises
et quartiers de pomme
sur des piques à olives

* Répartissez la glace pilée dans les deux verres et versez dessus le sirop de framboise.

* Remplissez chaque verre de jus de pomme glacé et remuez bien. Décorez de mini-brochettes de framboises et de quartiers de pommes que vous aurez confectionnées à l'aide de piques à olives.

index